Heft 1

VORWORT

Moderne Klänge und synkopierte Rhythmen, wie sie heutzutage im Rundfunk und Fernsehen zu hören sind, können die Quelle faszinierenden Unterrichtsmaterials sein und bieten wertvolle technische Studien. Diese Sammlung von Stücken, die nach dem Motto „es macht Spaß, sie zu spielen" zusammengestellt wurden, nimmt die Rhythmen der „pop" Musik der Vergangenheit sowie der Gegenwart zur Grundlage und beinhaltet Ragtime, Jazz, Blues, Boogie-Woogie und Tänze aus neuester Zeit.

Abgesehen von der rhythmischen Schulung bieten diese Kompositionen dem Schüler zusätzliche Erfahrungen mit einer ganzen Reihe von Tonarten, Zeitmaßangaben, Gruppen von musikalischen Phrasen, Anschlagsmöglichkeiten, Fingersätzen und musikalischen Ausdrücken.

Dieses Heft ist für alle Jugendliche, die Freude an dieser Art von Musik haben. Der Schwierigkeitsgrad entspricht dem der zweiten Stufe.

INHALT

Für Großbritannien, brit. Commonwealth (ausgen. Kanada), Südafrika und den europäischen Kontinent (inkl. Norwegen, Schweden, Dänemark und Finnland): Bosworth & Co., Ltd., London W. 1.

BOSWORTH EDITION

A Real Blast

*) Akkordsymbole siehe auch letzte Seite.

Tired Saddle Blues

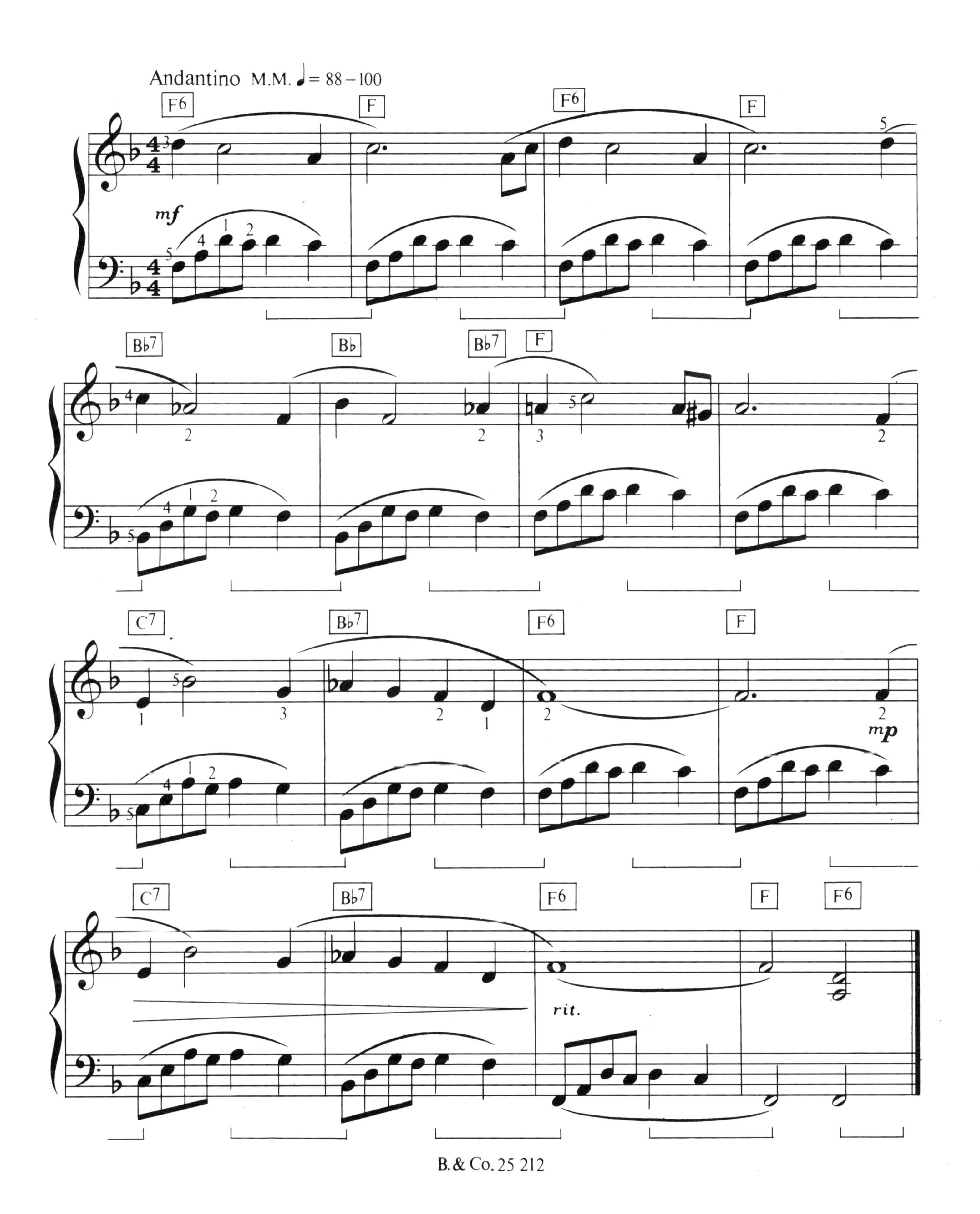

Cool School

G
D
mf
C
C7
G
mp
p
pp
ff rit.
8

Bugle Blues

Moderato M.M. 𝅗𝅥 = 72 – 84

Dm A

mf

A7 Dm Gm Dm Gm Dm

f

F C C7

mf

Dm Gm Dm Gm Dm

Rockin' Rhythm

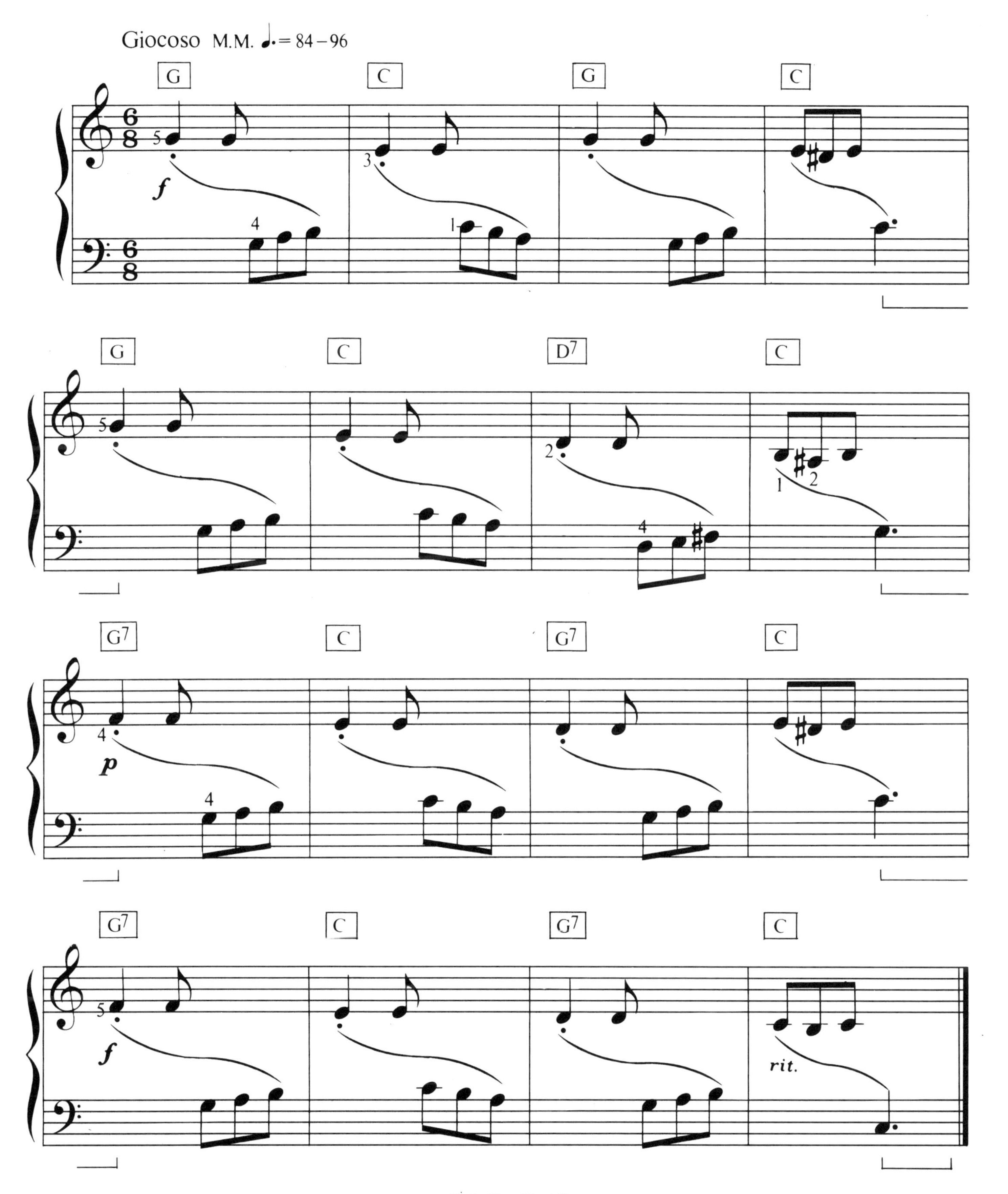

Bongo Boogie

Banana Waltz

(A tune with appeal)

Easy Come, Easy Go

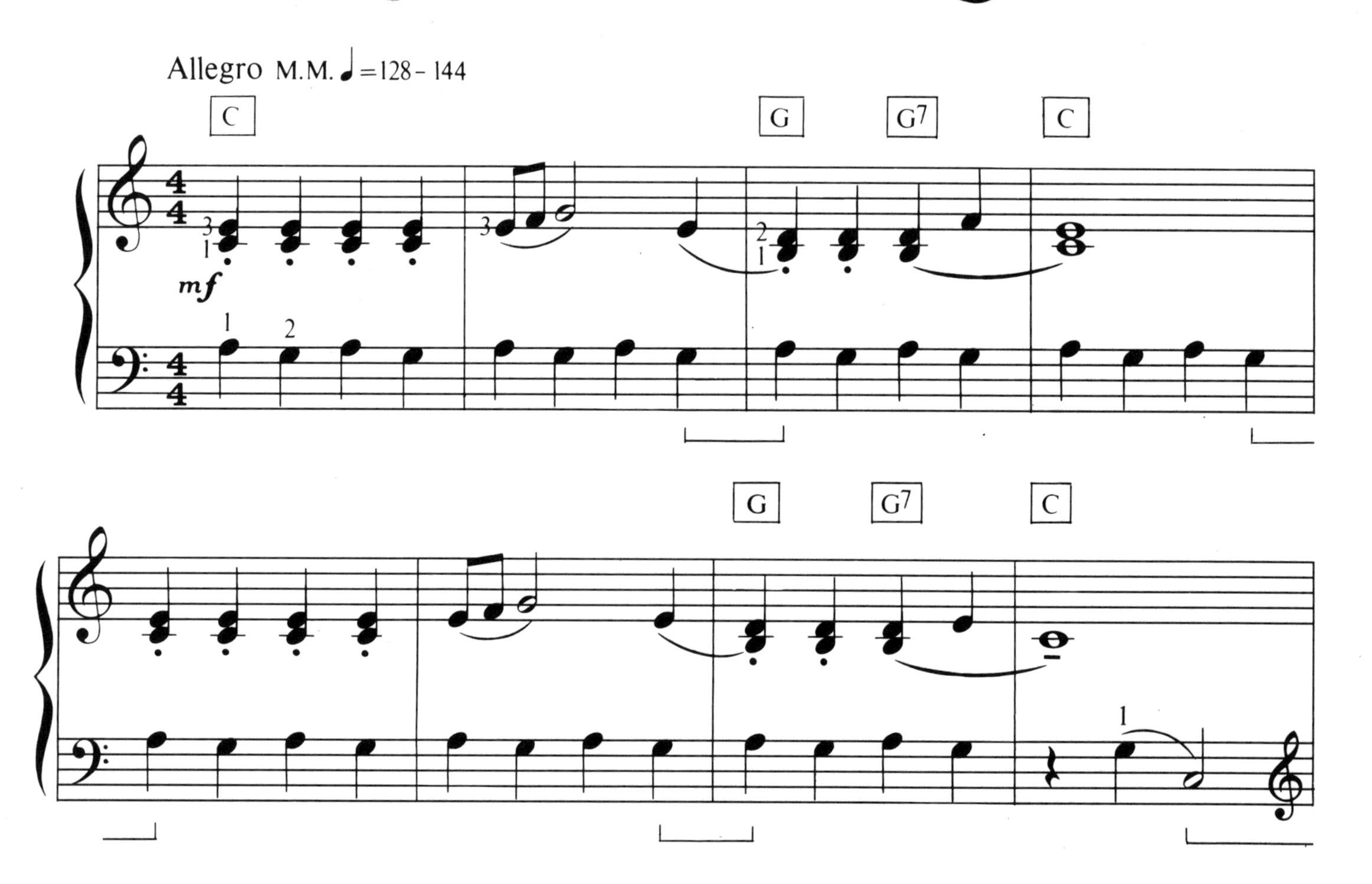

F
C
5
p
1
2
1
2
F
D
D7
G7
5
2
1
pp
1
1
2
C
G
G7
C
mf
G
G7
C

Go Man Go!

Vivace M.M. 𝅗𝅥 = 88 - 100
C
Cmaj7
Am
C
Cmaj7
G7
Dm
G7
Dm
G7
Dm
G7
C
F
C
G
C
F
C
G7
C

Big Beat

BEACHTE: Dieses Stück ist am wirkungsvollsten, wenn die Achtelnoten im synkopierten Stil (punktiert) gespielt werden:

DIRECTIONS: This piece is most effective when the eighth notes are played in syncopated style:

Ramblin' Rock

ANMERKUNG: Achte darauf, daß die Noten der rechten Hand mit ganz sanftem Anschlag gespielt werden, damit die Melodie in der linken Hand voll zur Geltung kommt.

DIRECTIONS: Be sure to play the right hand notes very softly *throughout the piece to allow the left hand melody to stand out.*

Empty Pocket Blues

BEACHTE: Dieses Stück ist am wirkungsvollsten, wenn die Achtelnoten im synkopierten Stil (punktiert) gespielt werden: ♩. ♪ ♩. ♪

DIRECTIONS: This piece is most effective when the eighth notes are played in syncopated style: ♩. ♪ ♩. ♪

Solid Stomp

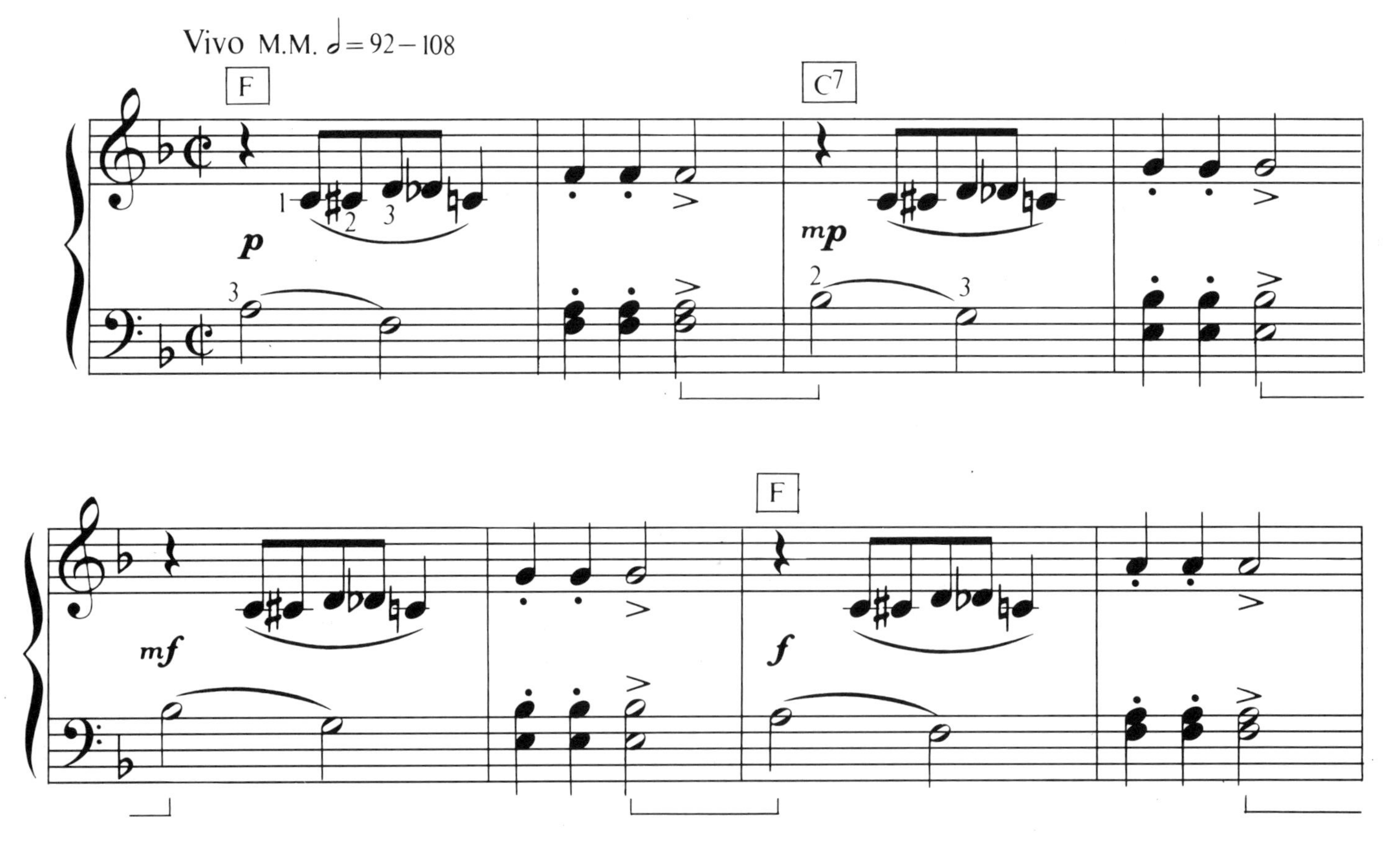

A7
ff
Dm
f
G7
mf
C
mp
C7
F
p
C7
mp
mf
F
f
ff

Hi-Octane

BEACHTE: Die aus vier Noten bestehende Baßfigur in der linken Hand gilt für alle Takte mit Ausnahme des letzten.

DIRECTIONS: The same four-note bass pattern is used in all measures except the last.

Swingin' Tiger

Animato M.M. 𝅗𝅥 = 80 - 92

*) B (international) = H

From Mad to Worse

BEACHTE: Dieses Stück ist am wirkungsvollsten, wenn die Achtelnoten im synkopierten Stil (punktiert) gespielt werden:

DIRECTIONS: This piece is most effective when the eighth notes are played in syncopated style:

Scherzando M.M. ♩= 126-144

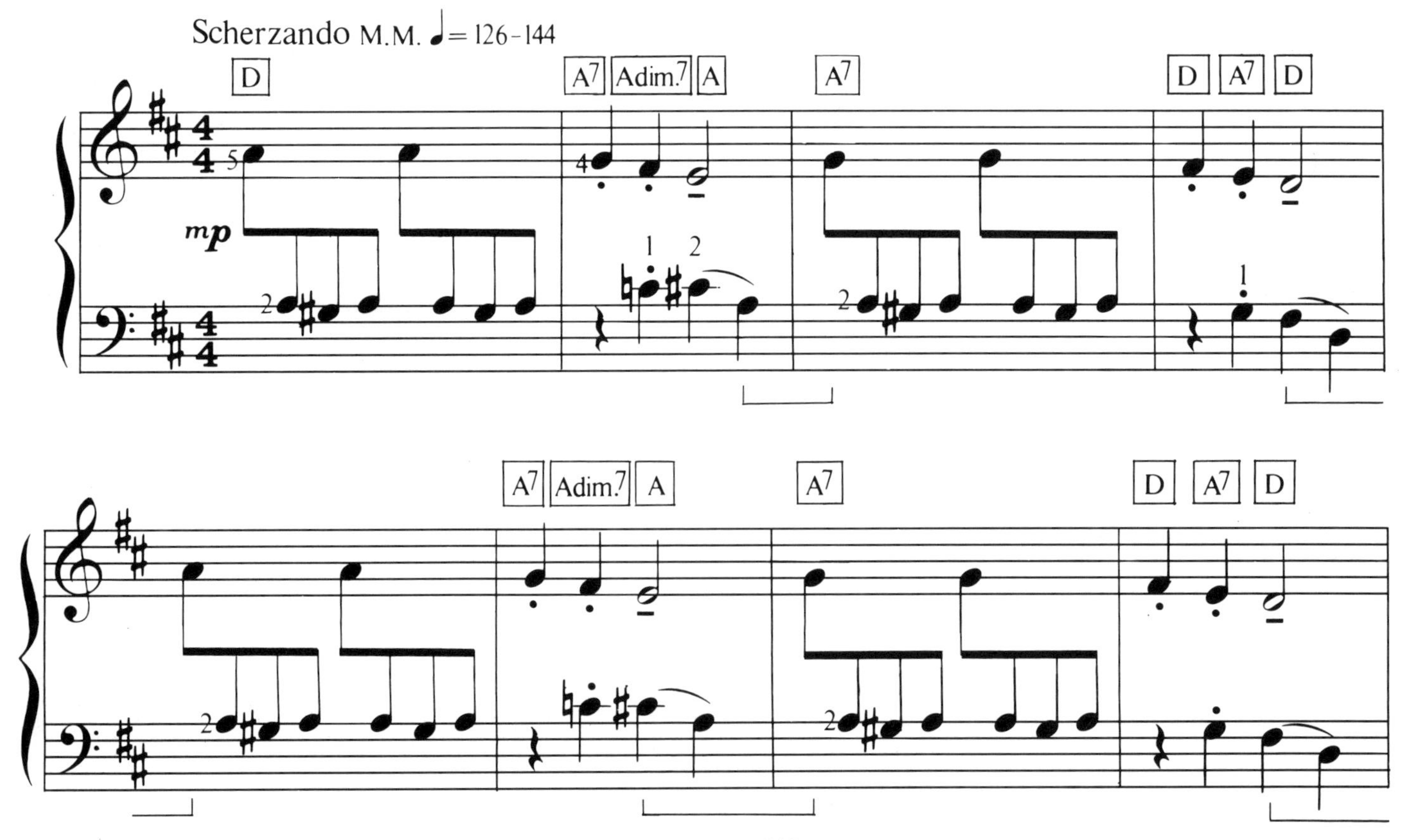

G
D
A7
D
D7
f
G
D
A7
D
A7
Adim.7
A
A7
D
A7
D
mp
A7
Adim.7
A
A7
D
A7
D

Bouncin' Beetle

*) B♮ (international) = H

Rat Race

*) B♮ (international) = H

Schaum-Akkord-Lexikon

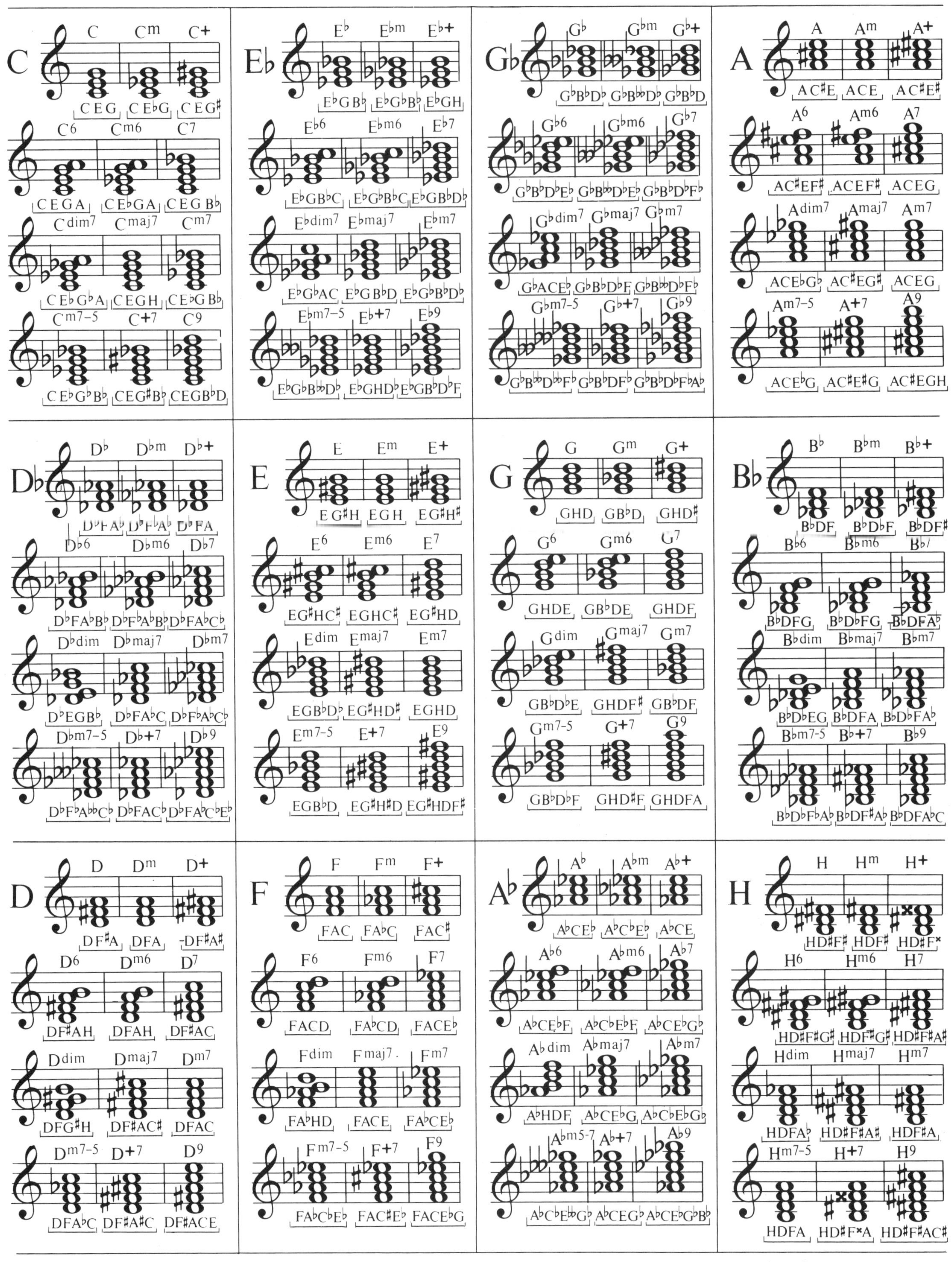

Im internationalen Gebrauch werden die durch Versetzungszeichen erhöhten oder erniedrigten Noten lediglich durch ein ♯ bzw. ♭ ergänzt.
So wird B(♮) B♭, Es E♭, As A♭, Fis F♯, Cis C♯, Gis G♯ geschrieben, usw.
Die Bezeichnung *dim* bedeutet vermindert und *maj* übermäßig.
Bei *F♯ -Akkorden* ist die *G♭-Bezifferung*, bei *C♯ -Akkorden* die *D♭-Bezifferung*, bei *G♯ -Akkorden* die *A♭-Bezifferung* und bei *D♯ -Akkorden* die *E♭-Bezifferung* anzuwenden.

Bedarfsweise können die Akkorde auch umgekehrt werden: G — D H G | G D H | H G D

Made in the EU 2/09 (168926)